FRANZ LISZT

CONCERTO No. 2

for Piano and Orchestra
A major/A-Dur/La majeur

Ernst Eulenburg Ltd
London · Mainz · Madrid · New York · Paris · Tokyo · Toronto · Zürich

FRANZ LISZT

Piano Concertos

The history of Liszt's two piano concertos is an odd one. Both works were first drafted many years before their final completion and underwent many revisions. The earlier versions were never published, unlike the earlier version of the *Années de Pèlerinage* and the studies; they exist in manuscript in the Liszt archives at Weimar. They are of great interest to the student of Liszt's development as a composer, but the expense of bringing out a comparative edition would be immense. Their interest lies in the evolution of Liszt's style of writing for the instrument, remarkable gain in formal concentration, and in a steady advance in his mastery of the orchestra.

From the point of view of technique we find in the earlier works of Liszt a preoccupation with pushing the resonances of the piano to their extreme limit; this tendency reached its peak about 1840, and is best exemplified in the earlier versions of the *Transcendental* and *Paganini Studies* and in some of his operatic Fantasies. A few of these works are nearly unplayable. The same tendencies stand out in the earlier versions of the concertos. In the 1840s Liszt grew to realize that it was possible to write equally well and often more effectively for the instrument without making such exorbitant demands on the performer. This change of outlook is very evident in the final versions of the concertos which, with all their glitter and technical ingenuity, are essentially playable works.

The orchestral writing in the early versions is undistinguished and at times even helpless; the same is true of the other two works for piano and orchestra of the same period, the *Lelio Fantasia* and the 'Malediction' Concerto. By the time Liszt was working on the final versions in the late 1850s, he had acquired a remarkable knowledge of the orchestra; in his earliest orchestral works he had been helped a lot by Raff, but his later mastery of the orchestra owed most to the experience he had gained as a conductor at Weimar after 1843.

In the case of a number of the works of Liszt which exist in more than one version the later one is nearly always the better on balance; but the earlier one has sometimes special qualities that make it deserving of occasional performances. This is not the case with the concertos; the final versions are superior in every significant respect.

Both concertos are continuous, but the Concerto in $E^\flat$ can be regarded, except in one case, as being in four distinct movements played without pauses, having most of the thematic material in common. The Concerto in A major is more episodic, but both concertos contain a middle section having the character of a Nocturne, and another that of a somewhat Mephisto phelean scherzo. There is a curious resemblance – possibly of no significance – between the figure of four notes that first appears at the beginning of the B major section of the $E^\flat$ Concerto and later becomes the theme of the finale, and a figure that first appears at bar 148 of the A major Concerto, and reappears in various forms throughout the work. Perhaps one should not read too much significance into such resemblances.

It is of interest that in both concertos Liszt wrote many fingerings and pedal markings in the full score. In all cases these deserve careful study though there is no reason why the performer should feel bound to keep to them. The absence of pedal marks does not necessarily mean that Liszt wished the passage to be played without, though it may do sometimes. Often it simply means that he had no specific pedalling in mind but left it to the player's judgment.

A further feature in common in both concertos is the frequent use of orchestral instruments, particularly woodwind and horn as solo instruments, at times combining them with the piano in a style approaching that of chamber music.

Concerto No. 2 in A major

The Second Concerto is less well known than the first, though many would consider it to be the subtler of the two. It is less compact, the contrasts are less obvious, and there are long stretches of slow, reflective or lyrical music. The formal structure is also less easily analysed. The work is continuous, but could be regarded as being is six sections having further possible divisions into sub-sections, some of these sections having almost the character of distinct movements. The difficulty in performance is to convey a sense of underlying unity; this, together with the extent to which the solo part and the orchestra are treated as an integrated whole, has meant that it has been neglected by those pianists who are interested only in the more obvious kinds of technical display.

This Concerto was first performed in 1857, conducted by Liszt with one of his pupils playing the solo part.

Robert Collett, 1978

FRANZ LISZT

Klavierkonzerte

Liszts Klavierkonzerte haben eine merkwürdige Entstehungsgeschichte. Beide Werke wurden viele Jahre vor ihrer endgültigen Vollendung entworfen und vielfach revidiert. Die früheren Fassungen, im Unterschied zu den früheren Fassungen der *Années de Pèlerinage* und der Etüden, wurden nie veröffentlicht. Sie haben sich im Manuskript erhalten und befinden sich im Liszt-Archiv in Weimar. Für das Studium des Entwicklungswegs, den Liszt als Komponist gegangen ist, sind sie von großem Interesse, aber die Kosten für die Veröffentlichung einer vergleichenden Ausgabe wären ungeheuer. Ihre Bedeutung liegt in der Entwicklung, die sich in Liszts Klavierstil entfaltet, in dem bemerkenswerten Fortschritt zu einer Konzentration der Form, und in der ständig wachsenden Beherrschung des Orchesters.

Vom technischen Standpunkt aus gesehen, zeigen die früheren Werke Liszts, daß er darum bemüht war, die Resonanzmöglichkeiten des Klaviers bis aufs Äusserste zu treiben. Diese Tendenz erreichte ihren Höhepunkt ungefähr 1840 und tritt am deutlichsten in den früheren Fassungen der *Études d'exécution transcendante* und der *Paganini-Etuden* zu Tage, sowie in einigen seiner Opernfantasien. Unter diesen Werken sind etliche, die kaum spielbar sind. In den früheren Fassungen der Konzerte ist diese Tendenz ebenfalls deutlich zu erkennen. In den vierziger Jahren des neunzehnten Jahrhunderts kam Liszt zu der Einsicht, daß es möglich war, genau so gut und oft wirkungsvoller für das Klavier zu schreiben, ohne derartig maßlose Ansprüche an den Ausführenden zu stellen. In den endgültigen Fassungen der Konzerte, die, mit allem Glanz und aller technischen Erfindungskraft, wesentlich spielbare Werke sind, ist diese Wendung in Liszts Standpunkt sehr deutlich erkennbar.

Der Orchestersatz in den früheren Fassungen ist unbedeutend, ja sogar mitunter unbeholfen. Dasselbe gilt für die beiden anderen Werke für Klavier und Orchester aus der gleichen Zeit: die *Lélio-Fantasie* und das ‚Malediction' Konzert. Als Liszt Ende der fünfziger Jahre an den endgültigen Fassungen arbeitete, hatte er sich inzwischen eine bemerkenswerte Kenntnis des Orchesters angeeignet. Bei der Instrumentierung seiner früheren Orchesterwerke hatte Raff ihm viel geholfen, aber seine spätere Beherrschung des Orchesters hatte er größtenteils seiner Erfahrung als Dirigent in Weimar, von 1843 ab, zu verdanken.

Die spätere Fassung einer Reihe von Liszts Werken, die es in mehr als einer Fassung gibt, ist, im großen und ganzen, fast immer die bessere; doch hat die frühere mitunter besondere Züge, welche eine gelegentliche Aufführung rechtfertigen. Dies ist bei den Konzerten nicht der Fall. Die endgültigen Fassungen verdienen in jeder wesentlichen Beziehung den Vorzug.

Beide Konzerte werden ohne Unterbrechung gespielt, aber das Konzert in Es-Dur kann, mit einer Ausnahme, als ein ohne Pausen gespieltes Werk in vier Sätzen angesehen werden, die den größten Teil ihrer Themen gemeinsam haben. Das Konzert in A-Dur hat mehr episodischen Charakter, aber beide Konzerte haben einen Mittelsatz in der Art eines Nocturnes und einen weiteren in der Art eines gleichsam mephistophelischen Scherzos. Zwischen einer Figur aus vier Noten, die zuerst am Anfang des H-Dur-Teils im Konzert in Es-Dur steht und später zum Thema des letzten Satzes wird, und einer Figur, die zuerst in Takt 148 im Konzert in A-Dur auftritt und dann in verschiedenen Formen im ganzen Werk erscheint, besteht eine merkwürdige Ähnlichkeit. Sie ist jedoch möglicherweise ohne Bedeutung, und man sollte vielleicht nicht zu viel in derartige Ähnlichkeiten hineinlesen.

Bemerkenswert ist, daß Liszt für beide Konzerte viele Fingersätze und Pedalanweisungen in die Partitur geschrieben hat. Alle diese Hinweise verdienen ein aufmerksames Studium, obwohl es für den Ausführenden keinen Grund gibt, sich genau daran zu halten. Dort, wo Liszt kein Pedal angegeben hat, ist nicht unbedingt anzunehmen, daß es seiner Absicht entspricht, die jeweilige Passage ohne Pedal zu spielen, obwohl das mitunter der Fall sein mag. Es kann auch einfach bedeuten, daß er in solchen Fällen an keine besondere Anwendung des Pedals gedacht, sondern sie dem Gutdünken des Spielers überlassen hat.

Ein weiterer Zug, der beiden Konzerten gemeinsam ist, ist die häufige Verwendung von Soloinstrumenten im Orchester, besonders von Holzbläsern und Hörnern, welche zuweilen dem Klavier auf eine Weise verbunden werden, die dem Kammermusikstil nahekommt.

Zweites Konzert in A-Dur

Das zweite Konzert ist weniger bekannt als das erste, obwohl es von vielen als das subtilere angesehen wird. Es ist weniger fest gefügt, die Gegensätze sind weniger offenbar, und es enthält ausgedehnte Abschnitte langsamer, kontemplativer oder lyrischer Musik. Auch ist die Art der Struktur nicht so leicht zu analysieren. Das Werk wird ohne Unterbrechung gespielt, kann aber als aus sechs Teilen bestehend angesehen werden, die wiederum in sich gegliedert sind. Einige dieser Teile haben fast den Charakter selbständiger Sätze. Bei der Aufführung besteht die Schwierigkeit, den Eindruck einer inneren Einheit zu vermitteln. Dies, sowie das hohe Maß, in dem die Solostimme und das Orchester als integrales Ganzes behandelt werden, hat dazu geführt, daß das Konzert von den Pianisten, die hauptsächlich Interesse daran haben, ihre technischen Fähigkeiten dazubieten, vernachlässigt worden ist.

Dieses Konzert wurde erstmalig 1857 unter der Leitung von Liszt, mit einem seiner Schüler als Solist, aufgeführt.

Robert Collett, 1978
Übersetzung Stefan de Haan

PIANO CONCERTO No. 2

Franz Liszt
1811 - 1886

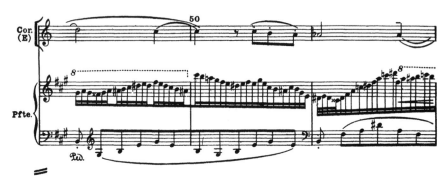

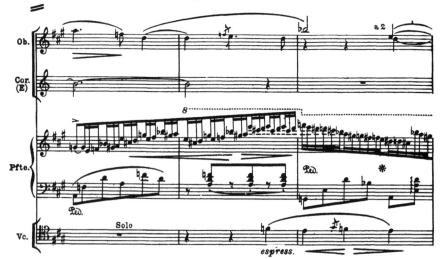

E. E. 3265

15

E. E. 3265

TUTTI, un poco più mosso

E.E. 3265

28

E.E.3265

34

E. E. 3265

50

E.E. 3265

C.B. tacent

E. E. 3265

Die Kürzung wird von hier aus nach ✶ übergegangen! (Pag. 87.)

E. E. 3265

E.E.3265

E. E. 8265

560

104

R. E. 3265